EDICIÓN ORIGINAL

Edición: Marie-Claude **Avignon**
Dirección editorial: Françoise **Vibert-Guigue**
Dirección artística: Frédéric **Houssin** & Cédric **Ramadier**
Concepción gráfica y realización: **Double**, París
Dirección de la publicación: Isabelle **Jeuge-Maynart**

EDICIÓN ESPAÑOLA

Dirección editorial: Jordi **Induráin Pons**
Edición: M. Àngels **Casanovas Freixas**
Realización: José M. **Díaz de Mendívil**
Cubierta: Francesc **Sala**

© 2006 LAROUSSE
© 2012 LAROUSSE EDITORIAL, S.L.
Mallorca 45, 3ª planta, 08029 Barcelona
larousse@larousse.es / www.larousse.es

ISBN: 978-84-15411-12-3
Depósito legal: B. 4607-2012
2E1I

colección **MINI** LAROUSSE

ANIMALES DEL MUNDO

Escrito por **Agnès Vandewiele**

Ilustraciones **de Nathalie Choux**

LAROUSSE

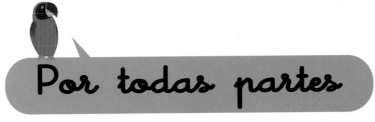

Por todas partes

Hay animales **en todos los rincones** del planeta.
Desde los más grandes hasta los más pequeños,
todos han encontrado su lugar en la tierra...

... incluso debajo de la arena ardiente del **desierto**,

sobre el hielo de las **banquisas**,

escondidos en las **selvas vírgenes**

o haciendo acrobacias en las laderas de las **montañas**.

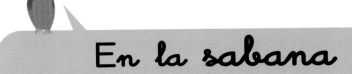

En la sabana

La sabana africana es una gran pradera de hierbas altas.
Los rebaños de **herbívoros** se ponen las botas.

En la **estación seca**, cuando escasea la comida y el agua,
los rebaños se desplazan en busca de otros pastos.

Vuelven en la **estación de las lluvias**, cuando todo está verde.

El **elefante** come más de 150 kg de plantas cada día: hojas, ramas, raíces...

Con su larga lengua negra, la **jirafa** coge las hojas de la copa de las acacias.

Los **hipopótamos** se pasan todo el **día** en el agua para protegerse del sol.

Por la **noche**, salen todos juntos para ir a pastar.

Los cazadores de la sabana

Al anochecer, todos los animales van a beber a las charcas. Los herbívoros tienen que tener cuidado con los **carnívoros**.

Las **leonas** se dedican a cazar en grupos de dos o tres: acechan a cebras, antílopes o ñus que beben distraídos...

... y saltan sobre los más imprudentes.

Escondido entre las hierbas, el **guepardo** observa su presa...

... y se lanza contra ella a 110 km/h.

Los **licaones** cazan en grupo. Para escapar, las gacelas o los ñus tienen que correr mucho.

En los desiertos de África

El Sahara es el desierto más grande del mundo. De día hace tanto calor que muchos animales solo salen de noche.

LA VÍBORA

EL FENEC

EL JERBO

LA IGUANA

EL ESCORPIÓN

El **jerbo** brinca sobre la arena caliente para no quemarse las patas.

El **fenec** y el **adax** no beben casi nunca: sacian la sed con el agua que contiene la comida.

El **dromedario** puede pasar seis días sin beber... pero, cuando encuentra agua, ¡engulle cien litros de una sola vez!

Los **suricatos** viven en otro desierto de África, el Kalahari. Están bien organizados: cuando salen de sus madrigueras para cazar escorpiones, unos cuidan a los pequeños mientras otros hacen guardia oteando el horizonte.

En los desiertos asiáticos

En los desiertos de Asia central, hace un **calor tórrido** en verano y un **frío glacial** en invierno. Los animales tienen que ser resistentes al calor y al frío.

14

El **camello bactriano** tiene dos jorobas llenas de grasa, que son una reserva de comida.

El **onagro** es un asno salvaje. Su espeso pelaje lo protege del frío.

El pelaje del **hámster enano** se vuelve blanco en invierno. ¡Se confunde con la nieve!

El **lobo** y el **águila** de las estepas cazan al **saiga**. ¡Por suerte, es muy veloz!

15

En la banquisa del polo norte

El **oso polar** es el rey del polo norte.
Se siente tan a gusto en el hielo como en el agua.

TIENE UNA BUENA CAPA DE GRASA BAJO SU BLANCO PELAJE, QUE LO PROTEGE DEL FRÍO.

SUS PATAS DELANTERAS SON PALMEADAS.

LOS PELOS BLANCOS DEJAN PASAR LA LUZ DEL SOL HASTA LA PIEL.

Para tener a sus oseznos, la osa cava una **guarida** en la nieve. Allí se queda todo el invierno.

El oso vigila los agujeros de las **focas** para cazarlas cuando salen a respirar.

Las **morsas** viven en grandes manadas. Los machos se pelean a golpes de colmillo.

¡La **orca** es capaz de perforar el hielo para cazar!

Sobre el hielo del polo sur

La **ballena azul** es el animal más grande del mundo. Sale a respirar a la superficie del agua. Nada con la boca abierta y traga grandes cantidades de agua. Cuando la cierra, el agua sale y sus barbas retienen el **krill**: unas minúsculas **gambas** que son el alimento de este gigante.

El **pájaro bobo** no vuela, pero nada muy bien en el océano helado lleno de peces.

En otoño, los pájaros bobos dejan el mar y **vuelven** al **glaciar** donde han nacido.

La madre pone un **solo huevo**. El padre lo **incuba** mientras ella se va a pescar.

Los padres esperan, **sin comer**, hasta que vuelven las madres para alimentar al pequeño.

19

La gran pradera americana

Los **perros de las praderas** son roedores, como la ardilla o la marmota. En caso de peligro, ladran, como los perros.

Viven en **colonias**, bajo tierra: las madrigueras de los perros de las praderas forman verdaderos **pueblos**.

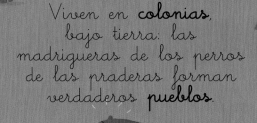

El **halcón,** que ataca desde el cielo, es su peor enemigo.

El **zorro** y el **coyote** acechan a la salida de las madrigueras.

El **tejón,** el **conejo de Florida** y el **mochuelo de madriguera** se instalan a veces en las madrigueras abandonadas de los perros de las praderas.

21

En Australia

¡Los animales de Australia son muy diferentes de los demás!

EL PÓSUM

EL KOALA

EL CANGURO

EL WOMBAT

EL BANDICUT

LA RATA ALMIZCLERA

Como el canguro, todos estos animales son **marsupiales**: terminan de crecer en la bolsa de su mamá.

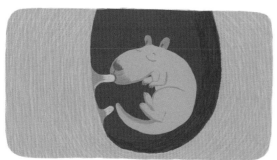

El **bebé canguro** engorda
en la bolsa de su mamá,
agarrado a una mama.

Cuando ya ha crecido, sale
de la bolsa, aunque se
refugia en ella si hay peligro.

El **koala** solo come hojas
de eucalipto. A menudo
se duerme mientras come.

El pequeño koala pasa su
primer año sobre la espalda
de su madre.

El **emú** es un pájaro enorme.
No vuela pero corre mucho.

El **ornitorrinco** es un mamífero
muy curioso: ¡tiene pico de pato
y pone huevos!

En la taiga y la tundra

La **tundra** está helada y cubierta de nieve en invierno. Entonces, para encontrar comida, las manadas de renos se refugian en la **taiga**, un gran bosque de coníferas, unos árboles que se parecen a los abetos.

¡Cuidado con los lobos!
Pobre del reno imprudente que no siga a la manada.

En los bosques

Muchos animales viven en el bosque. Es un buen sitio para **esconderse**.

Los **jabalíes** caminan largas distancias de noche para comer todo lo que encuentran: ratones, gusanos, raíces...

Los **ciervos** viven en manadas. Por un lado están los machos y, por otro, las **ciervas** y los **cervatillos**.

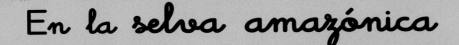

En la selva amazónica

La selva amazónica es la **selva tropical más grande** del mundo. Hay una enorme variedad de plantas y animales.

En la selva viven toda clase de monos: los **monos aulladores** los **titís**. Y muchos pájaros, los escandalosos **guacamayos**, los **tucanes** con su gran pico...

El **perezoso** pasa el día colgado. Lo hace todo muy lento: moverse, comer... Un día a la semana baja a hacer sus necesidades.

¡Cuidado con el **águila harpía** que vuela entre las ramas!

El **jaguar** se acerca a la presa sin ser visto.

La **anaconda** se esconde en el agua para atrapar a los **caimanes**.

La **boa** se escurre entre las ramas para cazar pájaros.

En las selvas africanas

Los grandes **gorilas** no suelen subir a los árboles.
¡Pesan demasiado para hacer acrobacias!

El **gran gorila** solo come plantas... ¡Pero muchas!

Los **gorilas** viven en grupos. Cada noche se hacen un nido.

El **pequeño chimpancé** es listo. Usa ramitas para coger insectos y hojas para beber.

¡Qué práctico! Cuando el bebé chimpancé está cansado, mamá lo lleva a cuestas.

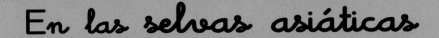

En las selvas asiáticas

Muchos animales
viven en lo alto
de los árboles de
la selva tropical.

LA ARDILLA VOLADORA
TAMBIÉN PLANEA
DE RAMA EN RAMA.

EL DRAGÓN VOLADOR
SE LANZA AL VACÍO.

EL TIGRE TIENE
UN BONITO
PELAJE A RALLAS.
CAZA SIN
HACER RUIDO.

LOS GIBONES
SE BALANCEAN
DE UNA RAMA
A OTRA.

LOS ORANGUTANES
VIVEN EN LOS ÁRBOLES.
PASAN LAS HORAS
DESPIOJÁNDOSE UNOS
A OTROS.

LOS ORANGUTANES SOLO BAJAN DE LOS
ÁRBOLES PARA BEBER O RECOGER FRUTOS.

En la montaña

En la cima de las montañas hace frío. ¡Sobre todo en invierno!

En **verano**, las **marmotas** de los Alpes tienen que comer mucho. Acumulan reservas para el invierno.

En **otoño** y en **invierno**, las marmotas **hibernan**: duermen acurrucadas unas contra otras para conservar el calor.

El **leopardo de las nieves** puede andar sin hundirse sobre las nieves perpetuas del Himalaya gracias a sus largas patas.

Los **yaks** de Asia son los primos montañeros del buey.

Las **vicuñas** de los Andes son pequeñas llamas salvajes.

En los Andes, la **alpaca** y la **llama** son animales domésticos. Sirven para todo: se usa su lana para hacer jerséis, se bebe su leche, se come su carne...

35

Récords

EL MÁS PESADO

El **elefante africano** pesa tanto como 300 niños.

EL MAYOR

La **ballena** es tan grande como un avión.

LA MÁS ALTA

La **jirafa** es alta como una casa.

EL MÁS RÁPIDO

El **guepardo** corre tan deprisa como un coche.

EL MÁS ESCANDALOSO

Cuando los **monos aulladores** chillan, se les oye a 3 km.

LOS MÁS GRANDES

El **avestruz** es el ave más grande. Sus huevos también lo son.

CAMPEÓN

El **canguro rojo** es el campeón en salto de longitud.

LOS MÁS LARGOS

El **búfalo asiático** tiene los cuernos más largos. ¡Miden más de 4 metros!